Proyectos de arte y manualidades para niños (ivertidas actividades artísticas y de manualidades de nivel fácil a intermedio para niños)

28 plantillas de copos de nieve: divertidas actividades artísticas y de manualidades de nivel fácil a intermedio para niños

LA CONTRASEÑA PARA LOS LIBROS DE REGALO ESTÁ EN LA PÁGINA 16

LIBROS DE REGALO -datos del sitio web de descarga

https://www.lipdf.com/product/33/

https://www.lipdf.com/product/34/

https://www.lipdf.com/product/35/

https://www.lipdf.com/product/36/

https://www.lipdf.com/product/37/

https://www.lipdf.com/product/38/

https://www.lipdf.com/product/39/

https://www.lipdf.com/product/40/

Copos de nieve de papel

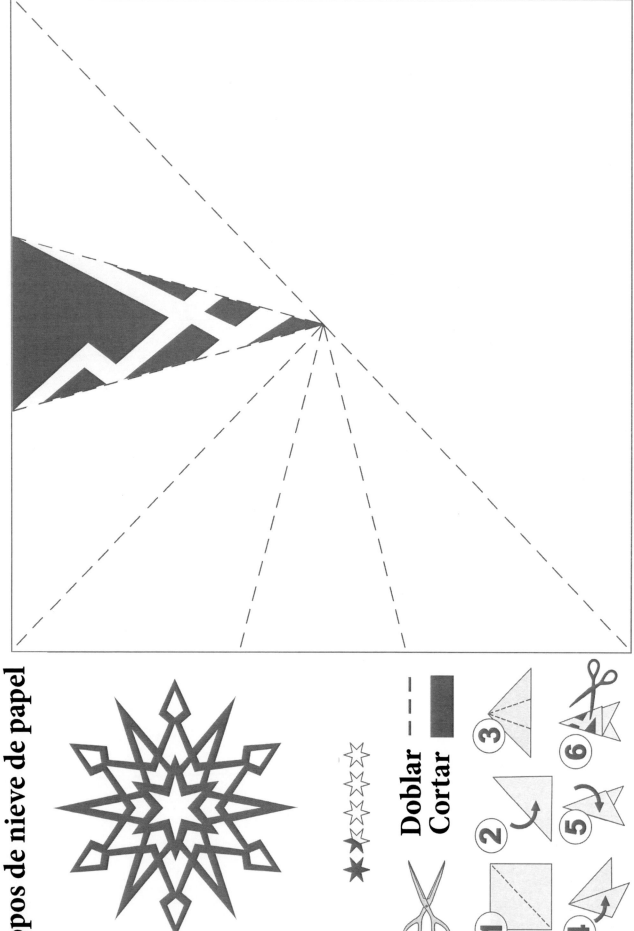

Doblar – – –
Cortar ▓

Copos de nieve de papel

Doblar – – –

Cortar ■

1 ✂

② ③

④ ⑤ ⑥ ✂

Copos de nieve de papel

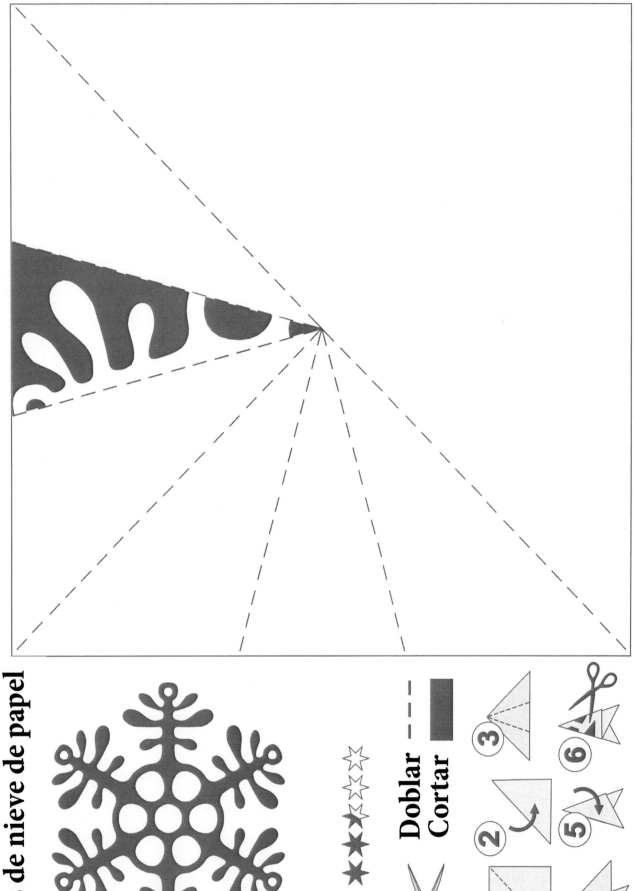

★ ★ ★ ☆ ☆ ☆

Doblar – – –
Cortar ▬

① ② ③ ④ ⑤ ⑥

Copos de nieve de papel

Doblar - - -

Cortar ▬

① ② ③

④ ⑤ ⑥

Copos de nieve de papel

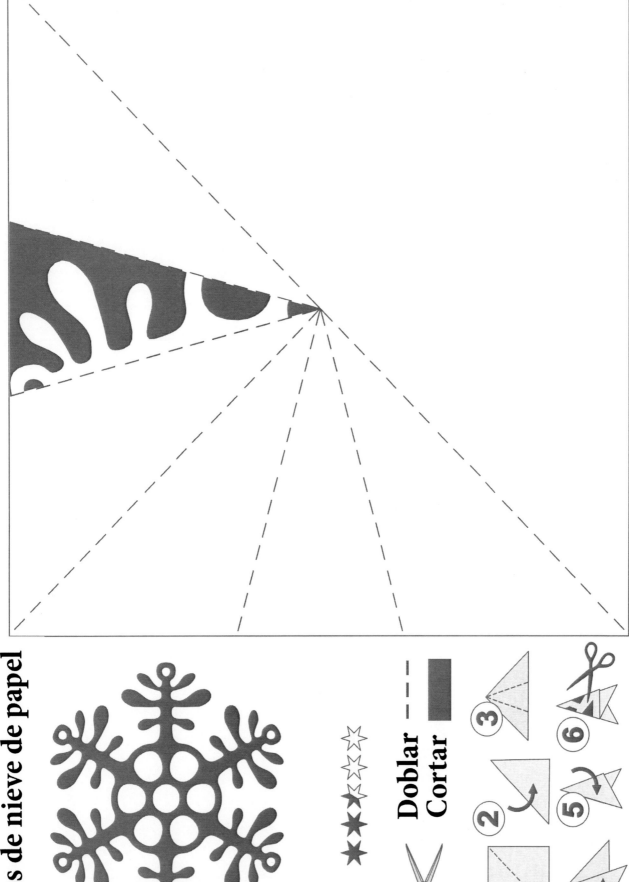

★ ★ ★ ★ ★

Doblar — —

Cortar ▬

Copos de nieve de papel

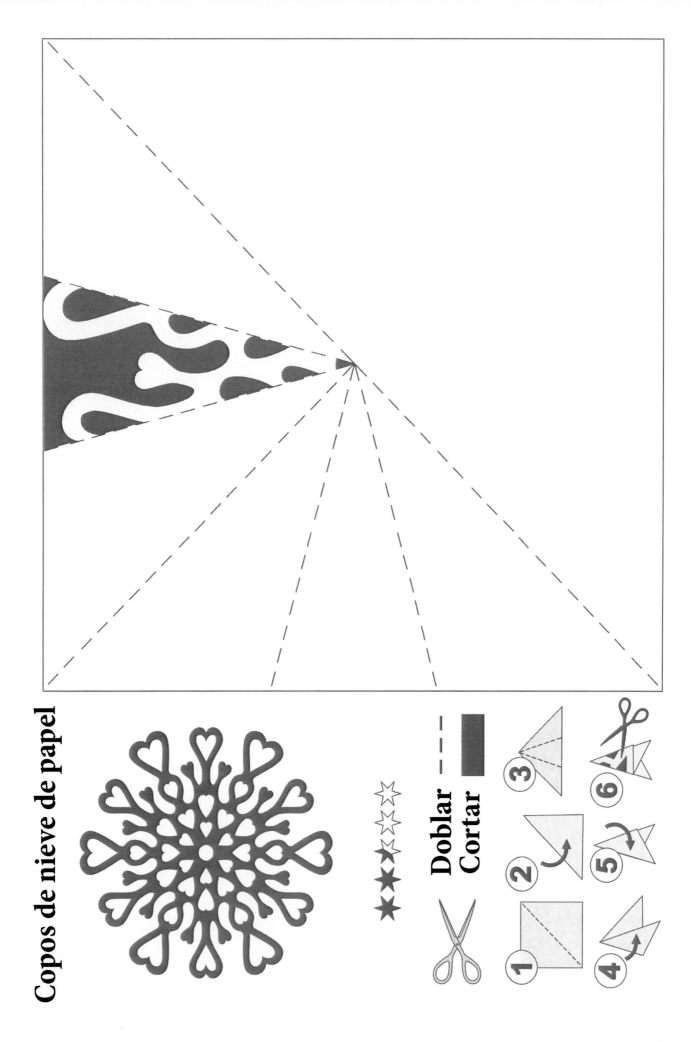

Doblar – – –

Cortar ▬

① ② ③ ④ ⑤ ⑥

Copos de nieve de papel

Doblar - - -

Cortar ▮

① ② ③

④ ⑤ ⑥

Copos de nieve de papel

Doblar - - - -
Cortar ▇

① ② ③

④ ⑤ ⑥

Copos de nieve de papel

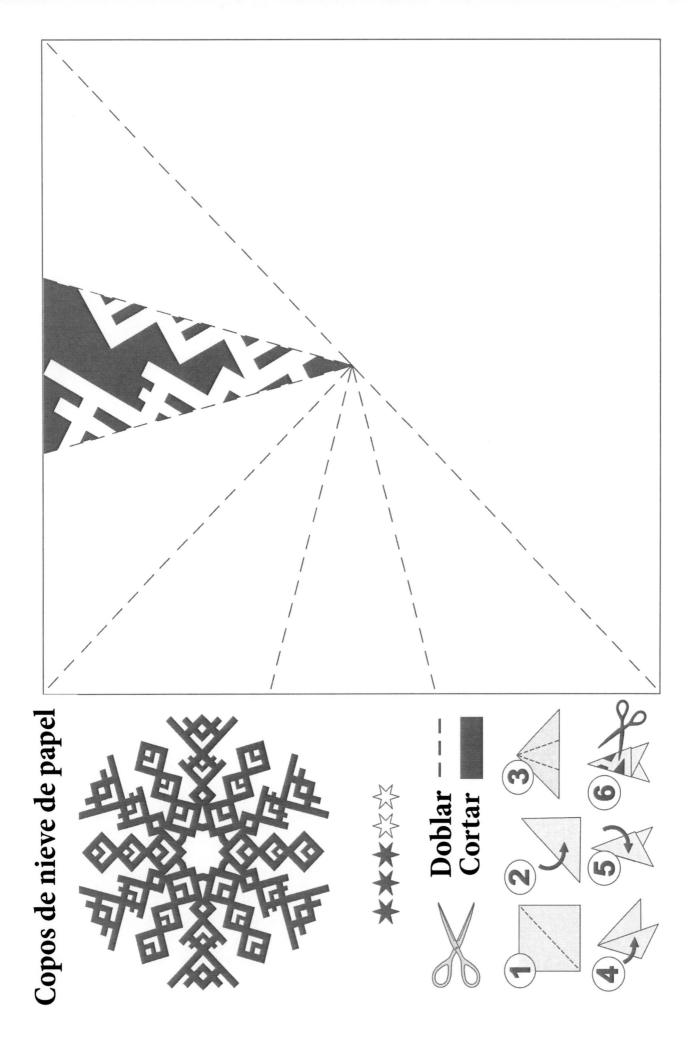

Doblar - - - -
Cortar

1 2 3
4 5 6

Copos de nieve de papel

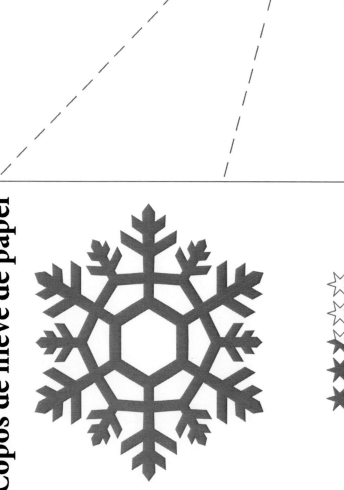

★★★★★☆☆

✂ **Doblar** - - -
Cortar ▮

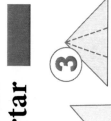

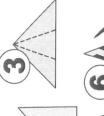

Copos de nieve de papel

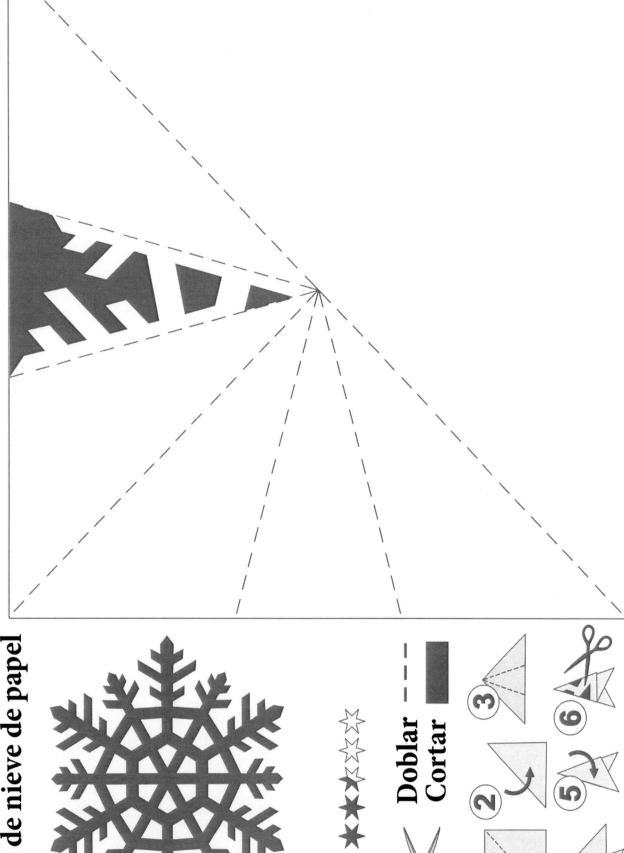

Doblar – – –
Cortar ▓▓▓

Copos de nieve de papel

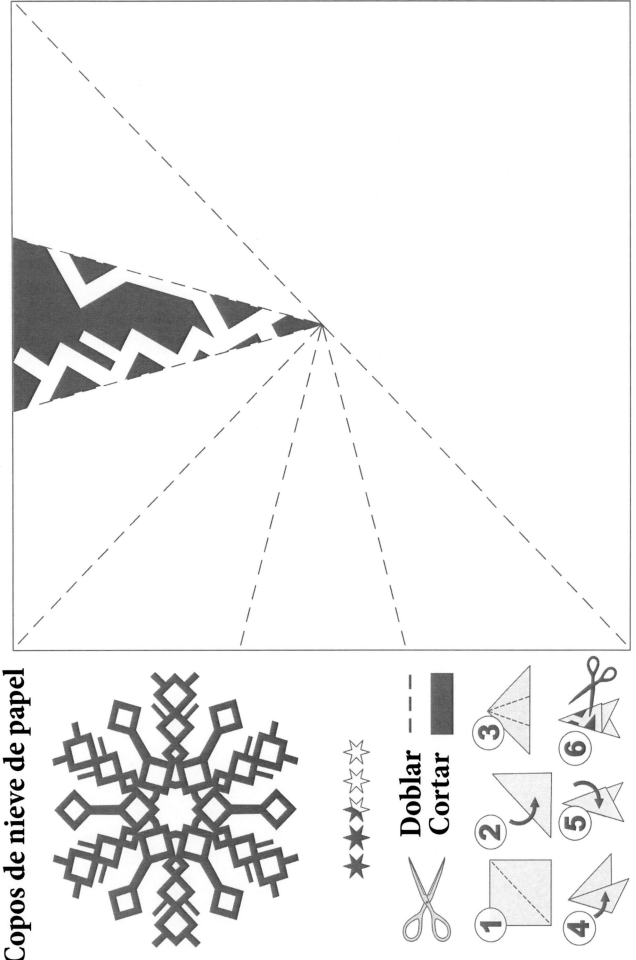

Doblar – – –

Cortar ▮

Copos de nieve de papel

Doblar – – –
Cortar ▐

① ② ③
④ ⑤ ⑥

Copos de nieve de papel

Copos de nieve de papel

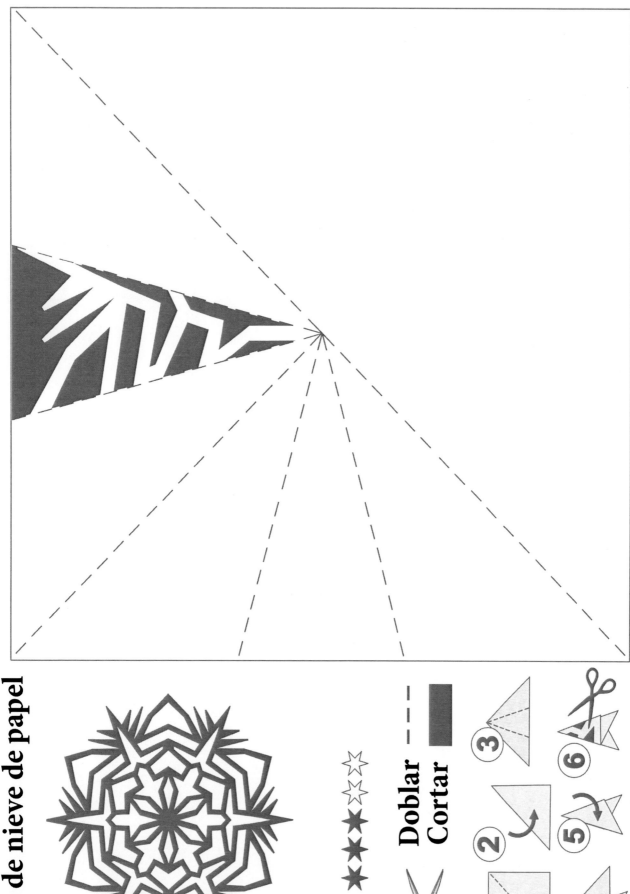

Doblar - - - -

Cortar ▓

1 2 3
4 5 6

Copos de nieve de papel

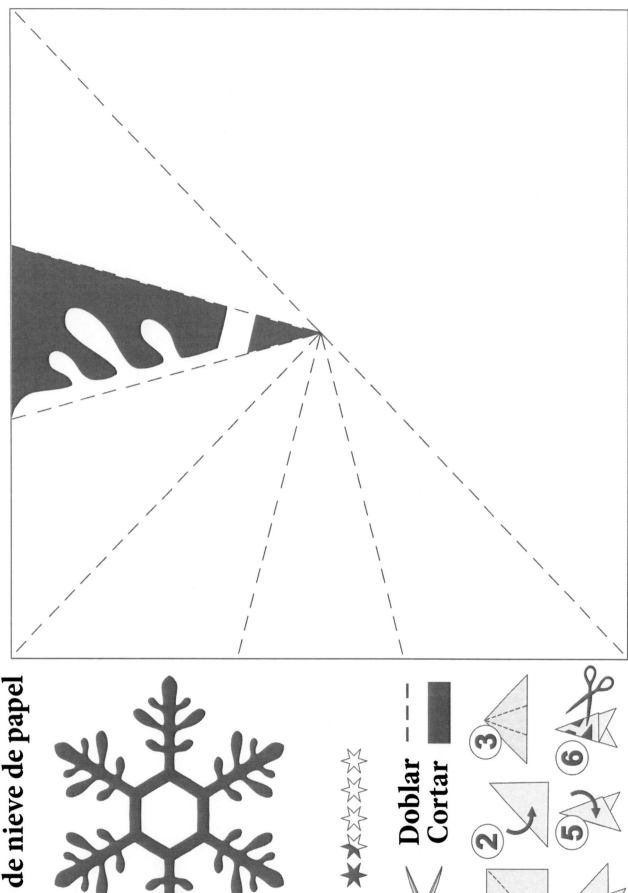

Doblar – – –

Cortar ▬

1 2 3

4 5 6

Copos de nieve de papel

Doblar - - -
Cortar ▨

Copos de nieve de papel

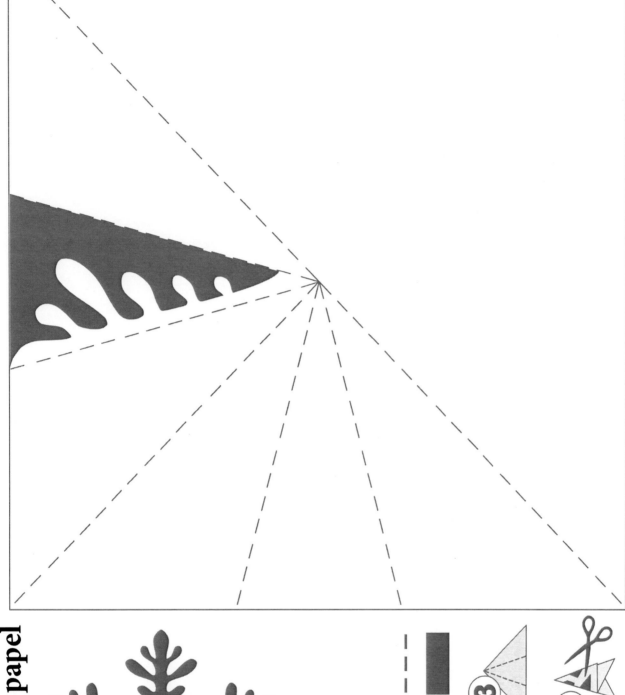

Doblar - - -
Cortar ▉

Copos de nieve de papel

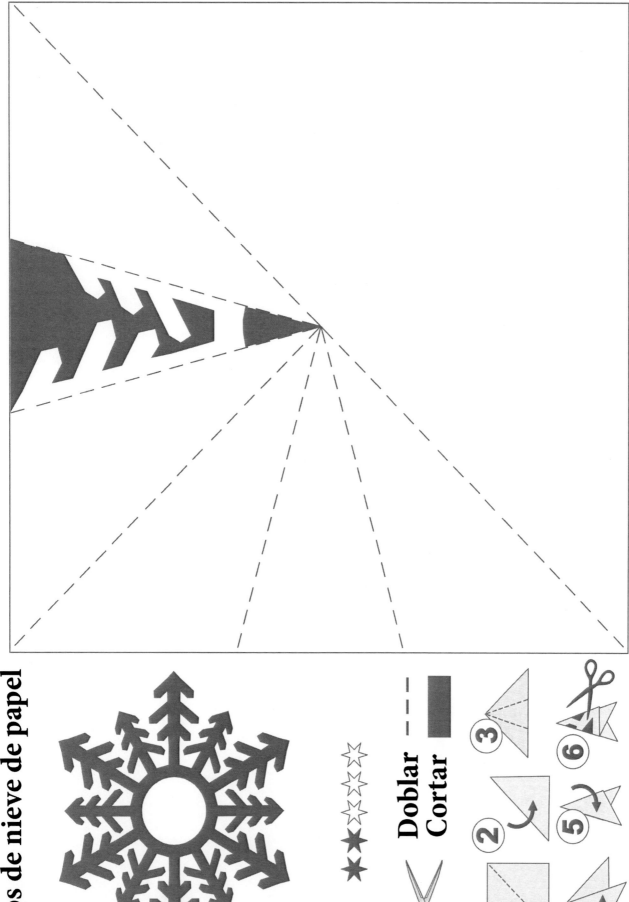

Doblar – –
Cortar ▮

Copos de nieve de papel

Doblar − − −

Cortar ■

Copos de nieve de papel

★★★☆☆

Doblar – – –
Cortar ▬

Copos de nieve de papel

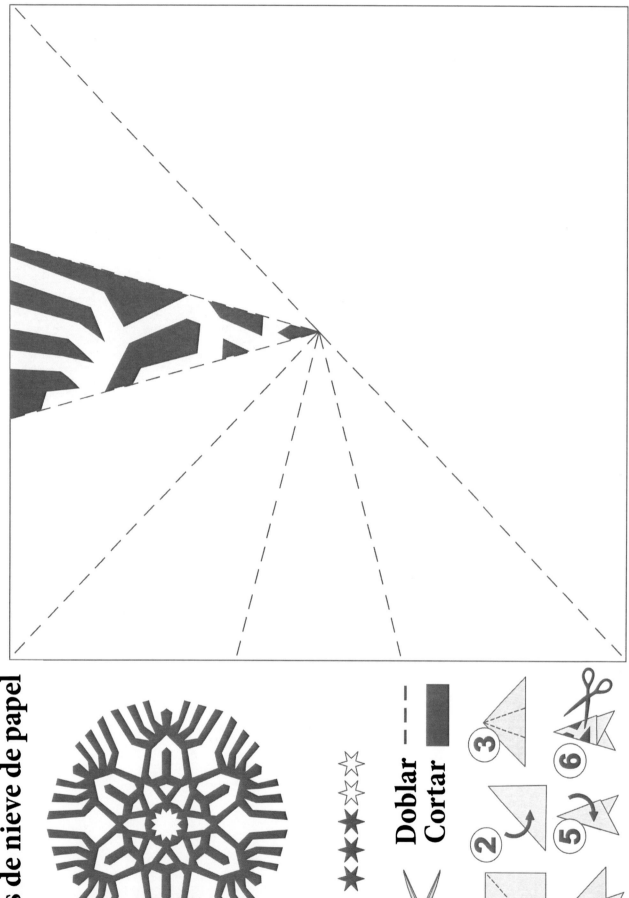

☆ ☆ ★ ★ ★

✂

Doblar - - -
Cortar ▓▓

Copos de nieve de papel

Doblar – – –
Cortar

① ② ③
④ ⑤ ⑥

Copos de nieve de papel

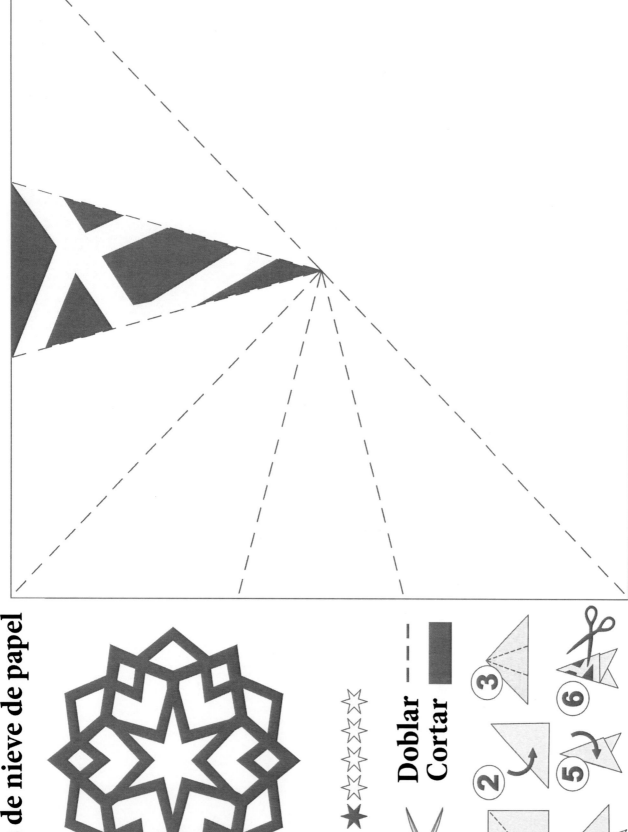

★ ☆☆☆☆☆

Doblar — —
Cortar ▬

Copos de nieve de papel

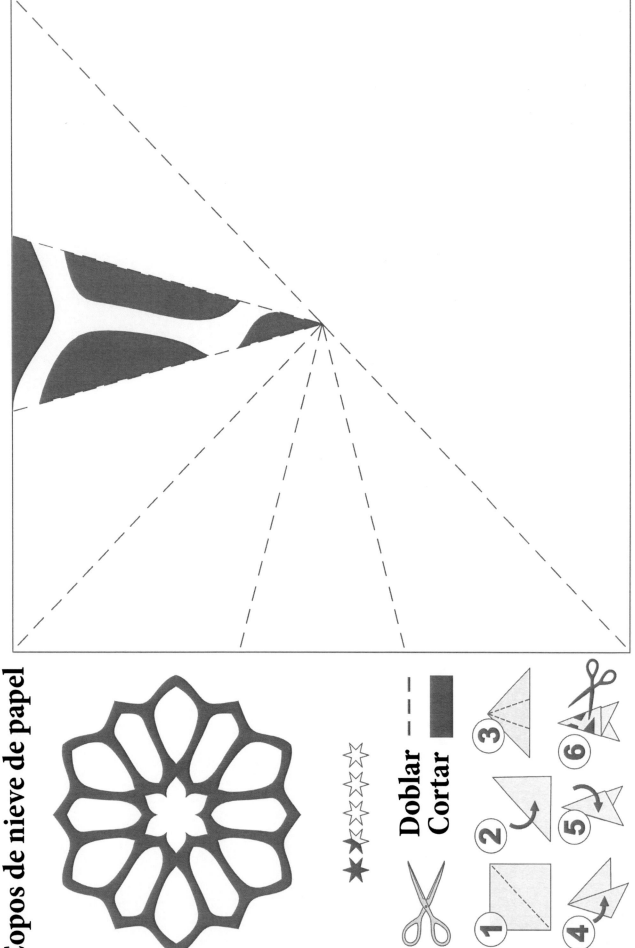

Doblar ‑ ‑ ‑

Cortar ▬

① ② ③

④ ⑤ ⑥

Copos de nieve de papel

Copos de nieve de papel

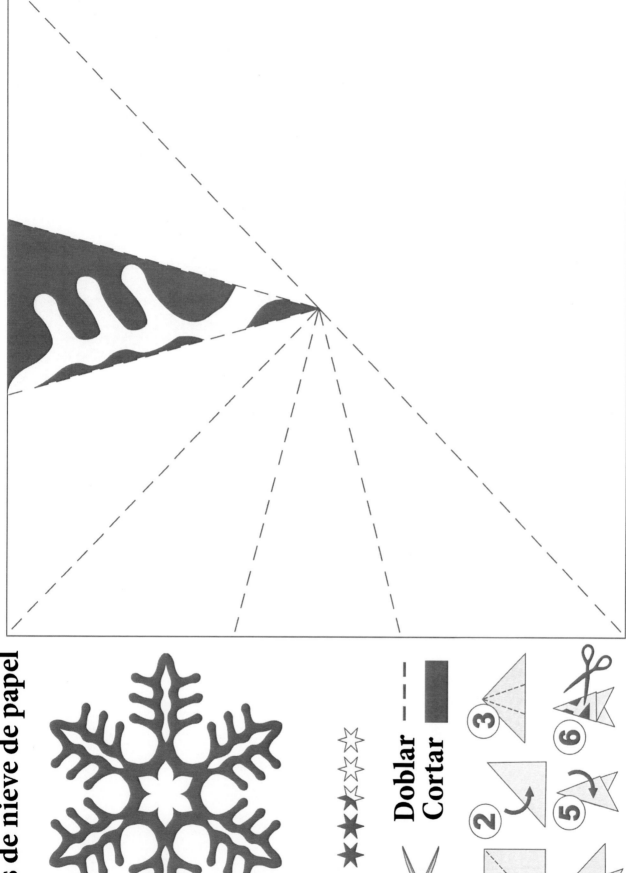

Doblar - - -
Cortar ▬

Copos de nieve de papel

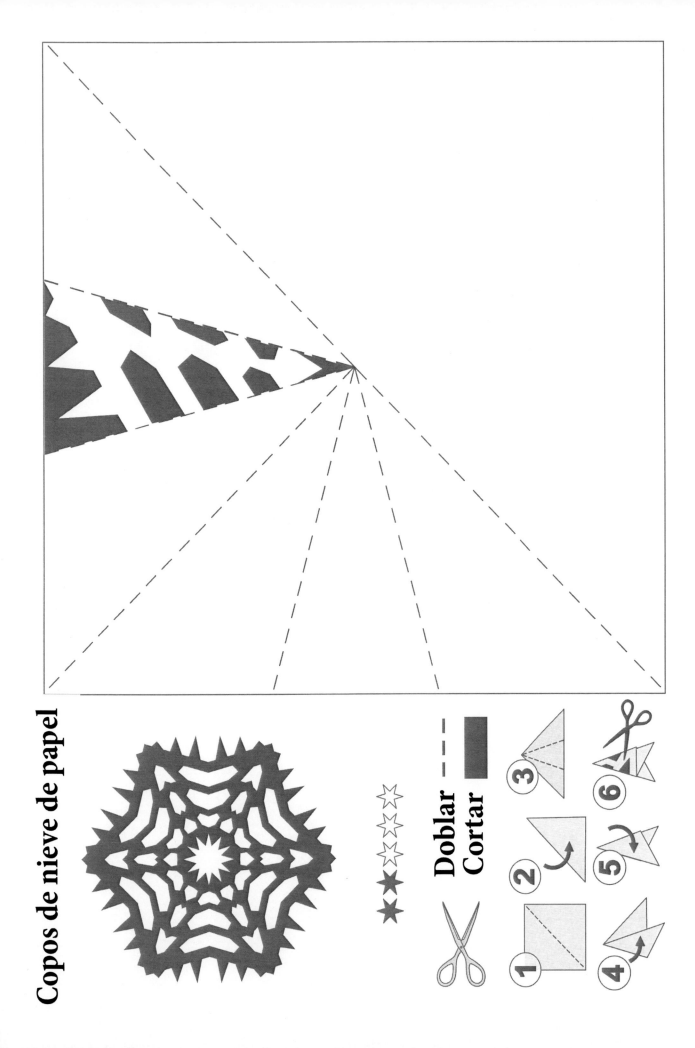

Doblar — — —
Cortar ▮

Printed by BoD˝in Norderstedt, Germany